TOSCANE

Colofon

© 2002 Rebo International b.v.

www.rebo-publishers.com - info@rebo-publishers.com

© 2002 uitgegeven door Rebo Productions b.v., Lisse

vormgeving en productie: Minkowsky, bureau voor grafische vormgeving, Enkhuizen

originele recepten en foto's: © Ceres Verlag, Rudolf-August Oetker KG, Bielefeld, Duitsland

6e druk 2004

opmaak: Minkowsky, bureau voor grafische vormgeving, Enkhuizen

vertaling: Vertaalburo Eurolingua www.eurolingua.nl

eindredactie: Jannie Kroes, Groningen

omslagontwerp: Minkowsky, bureau voor grafische vormgeving, Enkhuizen

ISBN 90 366 1374 4

TOSCANE

tongstrelende antipasti, primi en secondi voor
creatief koken

REBO CULINAIR

Voorwoord

La cucina Toscanese is een keuken 'semplice'. Eenvoud is haar
grootste troef. Bovendien zijn de producten zijn zeer vers en van
hoge kwaliteit, en dat gecombineerd met de passie van 'gli italiani'
maakt de gerechten uit de keuken van Toscane om de vingers
bij af te likken.
Dankzij de eenvoud zijn veel gerechten goed te imiteren. In een
handomdraai maakt u uw eigen Pesto, of Tagliatelle met zeevruchten.
De Toscaanse keuken wordt geroemd om haar gebruik van wild:
Konijnenbouten met olijven of Haas in tomatensaus, met dit boek
erbij durft u het aan! Als u zin heeft in zoet: van Florentijnse taartjes
tot Vijgen in sinaasappelsaus, buon appetito!

Afkortingen

el = eetlepel

tl = theelepel

g = gram

kg = kilogram

ml = milliliter

l = liter

°C = graden Celsius

Bereiding

Wrijf een pan met de knoflookteen in. Pel de ui, hak hem fijn. Verhit de olie in de pan, fruit de gehakte ui hierin glazig. Voeg het gehakt toe en bak het bruin.

Roer de tomatenpuree erdoor, laat die mee smoren, kruid met zout, peper, rozemarijn, oregano en tijm, giet de bouillon erbij en laat het geheel een paar minuten smoren. Meng de crème fraîche met de melk en de Parmezaanse kaas.

Leg een laag lasagnevellen in een ingevette ovenschaal. Doe vervolgens steeds afwisselend een laag gehaktsaus en een laag lasagnevellen in de ovenschaal. De bovenste laag moet gehaktsaus zijn (de lasagnevellen moeten bedekt zijn). Doe de boter in vlokjes erop, en verdeel het kaasmengsel gelijkmatig over de bovenkant van de lasagne. Schuif de ovenschaal op het rooster in de oven.

Oven

Boven-/ onderwarmte: 200-220 °C (voorverwarmd)

Heteluchtoven: 180-200 °C (voorverwarmd)

Gasoven: ca. stand 4 (voorverwarmd)

Baktijd: ca. 35 minuten

Tip

Leg 4-5 gepelde en in plakken gesneden tomaten op de lagen saus.

Lasagne al forno

Ingrediënten

1 gepelde knoflookteen, 1 grote ui

1 eetlepel plantaardige olie

250 g gehakt (half om half)

3 eetlepels tomatenpuree

zout, versgemalen peper

gedroogde rozemarijn

gedroogde oregano, gedroogde tijm

250 ml (1/4 l) vleesbouillon

1 beker (150 g) crème fraîche

125 ml (1/8 l) melk

40 g geraspte Parmezaanse kaas

250 g lasagnevellen, 40 g boter

Bijgerecht

Tomatensalade.

Bereiding

Breng de pasta in ruim gezouten water aan de kook, voeg olie toe en laat het volgens de aanwijzingen op de verpakking gaar koken. Doe de pasta in een zeef en laat deze uitlekken. Verhit de boter, doe de pasta erin, schud deze even om en houd de pasta warm.

Pel voor het kookvocht van de kokkels de ui en de knoflook en hak ze fijn. Verhit de olie en bak de gehakte ui er vijf minuten in, voeg de gehakte knoflook toe en verhit het kort. Voeg de wijn en het laurierblad toe en breng her geheel met zout en peper op smaak.

Doe de kokkels in het kookvocht. Terwijl u regelmatig roert, laat u de mosselen in ca. 5 minuten gaar worden (totdat ze open gaan).

Leg de tomaten kort in kokend water (niet laten koken), laat ze in koud water schrikken, ontdoe ze van het vel, verwijder het kroontje en de harde kern, halveer de tomaten en snijd ze in blokjes.

Laat de mosselen (uit het potje) uitlekken, laat de garnalen ontdooien, doe de blokjes tomaat, de mosselen en de garnalen met kappertjes bij de kokkels in het kookvocht, roer het mengsel voorzichtig, breng het aan de kook en laat het ca. 2 minuten op een laag vuur zachtjes koken.

Voeg de pasta en de peterselie toe, vermeng alles voorzichtig en serveer het gerecht meteen.

Ingrediënten

400 g tagliatelle

1 eetlepel plantaardige olie

2-3 eetlepels boter

Voor het kookvocht van de kokkels

1 ui, 1 knoflookteen

1 eetlepel plantaardige olie

125 ml (1/8 l) witte wijn

1 laurierblad

zout, versgemalen peper

1 pak (300 g) kokkels uit de diepvries

ca. 500 g tomaten

ca. 250 g mosselen (uit een potje, naturel)

ca. 100 g garnalen uit de diepvries

1 eetlepel kappertjes

gehakte peterselie

Tagliatelle met zeevruchten

Bereiding

Spoel de basilicumblaadjes af en dep ze droog. Pel de knoflook. **Pureer** de kaas, olie, pijnboompitten en basilicum en knoflook met een mixer. Verwarm de puree voor het gebruik en roer deze goed door.

Serveer het bij soepen, eenpansgerechten, gekookt rundvlees en pasta. In Italië wordt de pesto als voorgerecht bij ovenvers wit brood geserveerd. In plaats van 2 soorten kaas kan ook de dubbele hoeveelheid Parmezaanse kaas worden gebruikt.

Pesto

Ingrediënten

100 g verse blaadjes basilicum

6 knoflooktenen

50 g geraspte Pecorino en

50 g Parmezaanse kaas

200 ml olijfolie

75 g pijnboompitten

Tip

Vries de pesto in porties in. De pesto is in de diepvries minstens 6 maanden houdbaar.

Bereiding

Ontdoe de tomaten van het vel, verwijder de kroontjes en hak de tomaten in grove stukken. Pel de knoflook en pers hem.

Verhit de olie in een pan, voeg de stukken tomaat en de knoflook toe, laat alles tot een dikke saus inkoken en breng het met zout, peper en suiker op smaak.

Ingrediënten

1 kg tomaten

3 knoflooktenen

4 eetlepels olijfolie

zout

versgemalen peper

een beetje suiker

Tomatensaus

toscane

Bereiding

Was de spinazie, bak deze een paar minuten zonder vocht totdat de spinazie slinkt.

Verhit de diepvriesspinazie zonder te ontdooien al roerend tot deze kookt.

Laat de spinazie in een zeef uit lekken en afkoelen. Pers het water grondig eruit, hak de spinazie en verwarm deze met 1 eetlepel boter en zout wederom. Laat de spinazie afkoelen. **Meng** de eieren en 3 eetlepels Parmezaanse kaas en een beetje nootmuskaat erdoor.

Verhit de vleesbouillon, voeg de spinazie toe, dek de pan af, neem hem van het vuur, laat het geheel een paar minuten staan, zodat de eieren de soep kunnen binden.

Bak de sneetjes brood in de resterende boter goudgeel. Doe de soep in de voorverwarmde soepborden en serveer de spinaziesoep met de resterende kaas.

Spinaziesoep

Ingrediënten

500 g verse, schoongemaakte spinazie

of 1 pak diepvries bladspinazie

4 eetlepels boter

2 eieren (middelgroot)

zout, nootmuskaat

100 Parmezaanse kaas

1 l vleesbouillon

3 sneetjes brood

Bereiding

Snijd de aubergines dwars in ca. 1 cm dikke plakken.

Bestrooi de plakken aubergine met zout, leg steeds een paar plakken over elkaar, bedek ze met een keukenplank en verzwaar de plank met gewichten (bijv. conservenblikjes).

Pers de plakken aubergine na ca. 2 uur nogmaals samen en dep elke plak met keukenpapier grondig droog.

Vermeng de bloem met het basilicum en de kruiden, wentel de plakken aubergine erin.

Wentel de plakken aubergine opeenvolgend door de licht opgeklopte eieren en bak ze in hete olie goudgeel.

Laat ze op keukenpapier uitlekken en serveer ze heet.

Ingrediënten

2 aubergines (ca. 300 g per stuk)

zout

ca. 50 g tarwebloem

1 theelepel gedroogd basilicum

versgemalen peper

nootmuskaat

2 eieren (middelgroot)

olie voor het bakken

Gebakken aubergines

Bereiding

Breek de zite in vingerlange stukken en doe die in het gezouten water. Voeg de olie toe. Kook de pasta volgens de aanwijzingen op de verpakking beetgaar (al dente), doe de pasta in een zeef en laat deze uitlekken. **Spoel** de visfilets onder stromend koud water af, dep ze droog en besprenkel ze met citroensap, dep ze nog een keer droog en bestrooi ze met zout. **Breng** de bouillon met wijn aan de kook, doe de vis erbij en laat het in ca. 6 minuten gaar koken.

Leg de pasta in een ingevette ovenschaal en de verdeel de stukken vis daarover. Rasp de Goudse kaas en strooi 1/3 ervan over de stukken vis. **Maak** de prei schoon, snijd ze in ringetjes. Ontdoe de tomaten van het vel, deel ze in vieren en snijd de kroontjes eruit. **Smelt** de boter, bak de prei en de venkel er ca. 10 minuten in, voeg de stukjes tomaat toe, verwarm ze korte tijd mee en voeg de slagroom toe. **Breng** de groenten met zout en peper op smaak, doe de groenten over de vis en bestrooi deze met de rest van de kaas. Doe naar wens vlokjes boter erop. Schuif de schaal op het rooster in de oven.

Oven

Boven-/ onderwarmte: ca. 200 °C (voorverwarmd)

Heteluchtoven: ca. 180 °C (voorverwarmd)

Gasoven: stand 3-4 (voorverwarmd).

Baktijd: ca. 30 minuten

Sardinische zite met vis

Ingrediënten

250 g macaroni, 1 eetlepel plantaardige olie

400 g visfilet, bijv. koolvis, kabeljauw

citroensap, zout, 125 ml (1/8 l) visbouillon

125 ml (1/8 l) witte wijn

200 g jong belegen Goudse kaas

1 prei , 2 knollen venkel, 5 tomaten

40 g boter, 200 ml slagroom

versgemalen peper, 20 g botervlokjes

Opmerking

Zite is een bijzondere Italiaanse pastasoort.

Zite is net zo lang als spaghetti, maar dan bijna

zo dik als een potlood en hol van binnen.

Als u geen zite kunt vinden, dan kunt u

het beste penne rigate of penne lisce

voor dit gerecht gebruiken.

Bereiding

Spoel de kipfilets onder stromend koud water af, dep ze droog en wrijf ze met zout en peper in. Wikkel elke filet in een dun plakje ham en prik het met houten stokjes vast.

Verhit de boterolie, braad er langzaam de kipfilets in, aan beide kanten, ca. 15 minuten. Haal de kipfilets eruit en houd ze warm houden.

Kook de braadjus met marsala los, vermeng het geheel met de crème fraîche en breng het kort aan de kook.

Breng de saus met zout op smaak. Ondoe de kipfilets van de houten stokjes, doe ze in de marsalasaus en verhit ze ca. 2 minuten.

Ingrediënten

4 kleine kipfilets (125 g per stuk)

versgemalen peper

gehakte salie

4 dunne plakjes rauwe ham

2 eetlepels boterolie

3-4 eetlepels marsalawijn

1 beker (150 g) crème fraîche

zout

Kipfilet in een saus van marsalawijn

Bijgerecht

Risotto, veldsla.

Tips

Ook stokbrood of groene sla passen bij de kipfilet.

toscane

Bereiding

Halveer de paprika's, ontsteel ze, ontdoe ze van het zaad en van de zaadlijsten en schuif ze op een bakblik in de oven.

Oven

Boven-/ onderwarmte: ca. 250 °C (voorverwarmd)

Heteluchtoven: ca. 220 °C (voorverwarmd)

Gasoven: ca. stand 5 (voorverwarmd)

Rooster de paprika's totdat er bobbels op de huid ontstaan. Bedek ze kort met een vochtige theedoek. Pel de huid eraf en snijd de paprika's grof in repen.

Maak de courgette schoon, snijd de uiteinden eraf, was de courgette en snijd deze in plakken. Pel de knoflookteen, hak deze fijn. Spoel de basilicum af, dep ze droog en pluk de blaadjes van de stengels af en snijd ze in reepjes. Snijd de mozzarella in plakken. **Vet** een ovenschaal licht in, voeg de repen paprika, de plakken mozzarella en de courgette en de zwarte olijven toe. Breng alles met zout en peper op smaak. Meng de sojaolie met de knoflook en de basilicum en verdeel het mengsel over de groenten. Schuif de schaal op het rooster in de oven.

Italiaanse groenteschotel

Ingrediënten

2 gele paprika's, 2 rode paprika's

4 middelgrote courgettes, 1 knoflookteen

1 bosje basilicum, 200 g mozzarella

50 g zwarte olijven, zout, versgemalen peper

6 eetlepels sojaolie

Oven

Boven-/ onderwarmte: ca. 200 °C (voorverwarmd)

Heteluchtoven: ca. 180 °C (voorverwarmd)

Gasoven: stand 3-4 (voorverwarmd)

Baktijd: 25-30 minuten

Tip

Hierbij past stokbrood en chianti.

Bereiding

Zeef voor het deeg de bloem in een grote kom, meng het met het zout , maak een kuil-tje in het midden van de bloem, brokkel daar de gist in, doe het water en de olie er over-heen, los de gist erin op en bedek het met bloem. Laat het gistdeeg ca. 10 minuten op een warme plaats rijzen. Kneed daarna de ingrediënten vanuit het midden met de han-den tot een luchtig, soepel deeg, vorm het tot een bol, snijd kruisgewijs in, bestuif het met een beetje bloem en laat het afgedekt ca. 1 uur op een warme plaats rijzen. **Spoel** voor het beleg de lottefilet af, dep deze droog en snijd de filet in ca. 1 cm grote stuk-ken. Halveer de tomaten, ontdoe ze van de harde kern en snijd ze in blokjes. Maak de selderij schoon, ontdoe ze van de harde draadjes, was de stengels en snijd ze in dunne plakjes. Pel de sjalotjes en hak ze fijn. **Verhit** de olie, fruit de gehakte sjalotjes erin, voeg de bleekselderij toe en bak ze mee. Voeg vervolgens eerst de stukjes vis en dan de blok-jes tomaat toe en breng het geheel met zout en peper op smaak. **Pel** de knoflook en hak ze fijn, spoel de basilicum af en hak het fijn, voeg beide ingrediënten aan de vis en de groenten toe. **Rol** het pizzadeeg tot een ronde plak van ca. 28 cm doorsnee uit, leg het op een met een beetje olie bestreken bak- of pizzablik, bestrijk het deeg met een beetje olijfolie en verdeel het beleg er gelijkmatig over. **Laat** de mozzarella uitlekken, snijd het in kleine blokjes en strooi ze over het pizzabeleg. Schuif de pizza in de oven.

Pizza met lotte en bleekselderij

Ingrediënten

Voor het deeg

250 g tarwebloem, zout

20 g verse gist, 125 ml (1/8 l) lauw water

1/2 theelepel olijfolie

Voor het beleg

400 g lottefilet, 200 g tomaten

200 g bleekselderij

4 sjalotjes

4 eetlepels olijfolie, zout

versgemalen peper

1 knoflookteen

5 blaadjes basilicum, olijfolie

400 g mozzarella

Oven

Boven-/ onderwarmte: ca. 200 °C (voorverwarmd)

Heteluchtoven: ca. 180 °C (voorverwarmd)

Gasoven: stand 3-4 (voorverwarmd)

Baktijd: ca. 25 minuten

Bereiding

Maak de aubergines schoon, was ze, snijd ze eerst in duimdikke plakken en dan in blokjes en leg ze ca. 10 minuten in gezouten water. Dep ze daarna droog.

Verhit de olie in een pan en bak de blokjes aubergine, terwijl u ze af en toe omdraait, goudbruin. Voeg de gezeefde tomaten toe.

Pel de knoflook en pers ze erover uit. Kruid met zout, peper en oregano. Breng het geheel één keer aan de kook en laat het op een schaal tot kamertemperatuur afkoelen.

Was de peterselie, dep deze droog, hak de peterselie en strooi deze erover.

Ingrediënten

300 g aubergines

zout

plantaardige olie

125 g gezeefde tomaten (kant-en-klaar)

2 knoflooktenen

versgemalen peper

1/2 theelepel gedroogde oregano

1/2 bosje gladde peterselie

Gemarineerde aubergines

toscane

Bereiding

Pel voor de saus de uien en knoflooktenen en hak ze fijn. Verhit de olijfolie, fruit de gehakte uien en knoflook erin.

Voeg het gehakt toe en bak het al roerend ca. 5 minuten. Druk hierbij de stukjes gehakt met een vork fijn, kruid het met zout, peper en paprikapoeder.

Voeg de tomaten en het vocht hieraan toe. Maak de tomaten met een lepel een beetje kleiner. Voeg de tomatenpuree, rode wijn of water toe, roer het geheel goed om en breng het aan de kook. **Laat** de saus ca. 10 minuten koken. Roer de tijm en de basilicum erdoor.

Voeg voor de spaghetti wat olie aan het kokend gezouten water toe. Kook de pasta volgens de aanwijzingen op de verpakking beetgaar (al dente), doe de pasta in een zeef en laat deze uitlekken.

Bestrooi het gerecht naar wens met Parmezaanse kaas.

Spaghetti Bolognese

Ingrediënten

Voor de saus

2 uien

1-2 knoflooktenen

2 eetlepels olijfolie

250 g gehakt (half om half)

zout, versgemalen peper

paprikapoeder

400 g tomaten (uit blik)

70 g tomatenpuree (uit blik)

125 ml (1/8 l) rode wijn of water

1 theelepel gehakte tijm

1 theelepel gehakt basilicum

Voor de spaghetti

400 g spaghetti

1 eetlepel plantaardige olie

geraspte Parmezaanse kaas

Bereiding

Koel de meloenen een paar uur, halveer ze, ontpit ze

en snijd beide meloenen ieder in 6 parten.

Leg op iedere meloenpart een plakje ham en maal er wat

peper over.

Ingrediënten

2 honingmeloenen

12 plakjes parmaham (dun gesneden)

versgemalen peper

Meloen met parmaham

Tip

Serveer de meloen met parmaham als voorgerecht

of als kleine maaltijd 's avonds.

Bereiding

Spoel voor de saus het basilicum af, dep het droog, stamp het met de peterselie, knoflook en zout in een vijzel fijn.

Voeg de Parmezaanse kaas en de geraspte geitenkaas eraan toe. Vermeng alles goed, voeg met een eetlepel de olie toe en roer het tot er een crèmeachtige massa is ontstaan (of doe de olie in een mixer en voeg alle andere ingrediënten eraan toe en vermeng dit tot een crèmeachtige massa).

Kook de spaghetti in water met zout volgens de aanwijzingen op de verpakking beetgaar (al dente). Doe de spaghetti in een zeef, laat deze uitlekken en doe de spaghetti in een voorverwarmde schaal.

Vermeng het gerecht met de saus en serveer het meteen.

Ingrediënten

Voor de saus

1 bosje vers basilicum

3-4 eetlepels gehakte peterselie

5 gepelde knoflooktenen

1 theelepel zout

50 g geraspte Parmezaanse kaas

70 g geraspte pecorino (Italiaanse geitenkaas)

10 eetlepels olijfolie

400 g spaghetti

Spaghetti Genua

Bijgerecht

Versgeraspte Parmezaanse kaas.

toscane

Bereiding

Verhit de visfond. Spoel de zalm- en roodbaarsfilets onder koud stromend water af, dep ze droog, snijd ze in blokjes. Laat de blokjes visfilet ca. 3 minuten in de visfond sudderen, haal ze eruit en zet ze opzij.

Maak de groenten schoon en was ze. Snijd de lente-uien in ringetjes, snijd de venkel en de paprika in reepjes. Hak het groen van de venkel fijn en zet het voor het garneren opzij.

Smelt de boter, bak de groenten erin en bestuif ze met bloem. Vul het geheel met witte wijn, vermout en visfond aan en laat het inkoken. **Laat** de fond ca. 10 minuten koken, breng deze met zout, peper en citroensap op smaak en verfijn de fond met slagroom en crème fraîche.

Verhit de blokjes visfilet, de mosselen en garnalen in de soep, bestrooi het gerecht met het groen van de venkel en serveer het.

Vissoep met venkel

Ingrediënten

1 l visfond of groentebouillon

200 g zalmfilet, 200 g roodbaarsfilet

2 lente-uien, 2 knollen venkel

2 rode paprika's

30 g boter

30 g tarwebloem

200 ml witte wijn

200 ml droge, witte vermout

zout, versgemalen peper

citroensap, 250 ml (1/4 l) slagroom

1 beker (150 g) crème fraîche

200 g mosselen (zonder schelp)

200 g garnalen

Tip

De vissoep kan natuurlijk ook met andere soorten vis

worden bereid. De vissoort die u gebruikt, moet wel stevig

vlees hebben, zoals snoek, tarbot of tong.

toscane

Bereiding

Spoel de kalfsschnitzels onder koud water af en dep ze droog. Spoel de blaadjes salie voorzichtig af en dep ze droog. Leg de kalfsschnitzels naast elkaar en leg één blaadje salie op elke schnitzel. Vouw de plakjes ham samen, leg ze op de schnitzels en prik ze met de houten spiesjes vast. Breng de schnitzels met zout en peper op smaak en bestuif ze met bloem.

Verhit de olie en braad het vlees er aan beide kanten ca. 2-3 minuten in. Haal het vlees uit de pan en houd het warm. Giet het braadvocht af.

Giet de bruine fond en de vermout in de pan en kook de braadjus los. Breng de saus eventueel nog een keer op smaak.

Kalfsschnitzel met ham en salie

Ingrediënten

8 kalfsschnitzels (ca. 80 g per stuk)

8 blaadjes salie

8 plakjes parmaham

zout

versgemalen peper

1-2 eetlepels tarwebloem

3 eetlepels olijfolie

250 ml (1/8 l) bruine fond

2 eetlepels droge vermout

Bovendien

houten spiesjes

Bereiding

Spoel de lamsbout onder koud stromend water af, dep hem droog en lardeer met de knoflooktenen. Verhit olie in een smoorpan en braad het vlees aan beide kanten goed aan.

Pureer de tomaten en kruid ze met rozemarijn, zout en peper. Breng het geheel kort aan de kook, voeg het aan de lamsbout toe en schuif het op het rooster in de oven.

Voeg kort voordat het vlees gaar is de doperwten toe en laat ze mee smoren (hooguit 10 minuten). Haal het vlees eruit, ondoe het van de botten en snijd het in plakken.

Ingrediënten

1 1/2 kg lamsbout

12 gepelde knoflooktenen

6 eetlepels olijfolie

400 g tomaten met vocht (uit blik)

gedroogde rozemarijn

zout, versgemalen peper

500 g fijne doperwten (vers of diepvries)

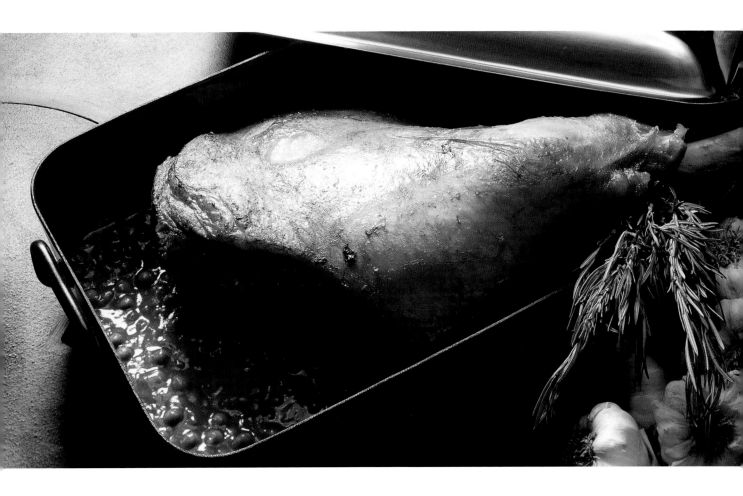

Toscaanse lamsbout

Oven

Boven-/ onderwarmte: ca. 180 °C (voorverwarmd)

Heteluchtoven: ca. 160 °C (niet-voorverwarmd)

Gasoven: stand 2-3 (niet-voorverwarmd)

Baktijd: ca. 1 1/2 uur

toscane

Bereiding

Spoel de sinaasappels onder stromend heet water af en wrijf ze goed droog. Schil de 3 sinaasappels en zet ze even opzij.

Schil de schil van de citroen vliesdun af en snijd hem in zeer dunne reepjes.

Pers de sinaasappels en de citroen uit. Doe het sap met suiker in een pan. Voeg de geraspte sinaasappelschil toe, laat alles op een matig vuur tot een siroopachtige saus inkoken.

Schil de vijgen, halveer ze en schil ze op een bord.

Giet de hete sinaasappelsaus erover en bestrooi het geheel met de sinaasappelreepjes. Dek ze met plastic folie af en laat ze in de koelkast minstens 1 nacht trekken.

Klop ter garnering de slagroom met de vanillesuiker halfstijf en voeg naar smaak suiker toe.

Doe de slagroom over de vijgen en serveer het ijskoud.

Ingrediënten

4 sinaasappels (onbespoten)

1 citroen

250 g suiker

12 verse blauwe vijgen

200 ml slagroom

1 pakje vanillesuiker

suiker naar smaak

Vijgen in sinaasappelsaus

Bereiding

Breng de pasta in ruim water met zout aan de kook, voeg olie toe en laat de pasta volgens de aanwijzingen op de verpakking gaar koken. Doe de pasta in een zeef en laat deze uitlekken. Verhit de boter, doe de pasta erin, schud de pasta even om, doe deze in een schaal en houd deze warm.

Pel de knoflooktenen en hak ze fijn. Maak de champignons schoon, was ze en snijd ze in plakjes. Was de peterselie, dep deze droog en hak de peterselie fijn. **Laat** de mosselen uitlekken, vang het vocht op.

Verhit de boter of margarine, fruit de knoflook erin, voeg de plakjes champignon en de peterselie toe en laat het geheel ca. 5 minuten bakken. Voeg een beetje van het mosselvocht toe en laat het mengsel in een afgedekte pan ca. 10 minuten stoven. Voeg de mosselen toe, verwarm ze, ze kruid met zout, peper en uienpoeder. **Doe** de champignonmosselen over de tagliatelle en serveer het gerecht meteen.

Tagliatelle met mosselen

Ingrediënten

250 g tagliatelle	1 bosje peterselie
1 eetlepel plantaardige olie	500 g mosselen (uit blik)
2 eetlepels boter	ca. 50 g boter of margarine
1-2 knoflooktenen	zout
250 g champignons	peper
	uienpoeder

Bereiding

Zeef voor het deeg de bloem in een grote kom. Voeg de suiker, de citroenschil en de boter toe. Kneed de ingrediënten met een handmixer met kneedhaken eerst kort, op de laagste stand, dan op de hoogste stand goed door elkaar. Kneed het geheel daarna op het aanrecht tot een glad deeg en zet het deeg een tijdje op een koude plaats. **Rol** het deeg ca. 3 mm dik uit en steek er ronde plakken (Ø ca 5 cm) uit. Leg de plakken op een ingevet en met bakpapier belegd bakblik. **Roer** voor het beleg de bakmarsepein goed met een handmixer met gardes. Roer geleidelijk de gezeefde poedersuiker, het eigeel en het citroensap erdoor totdat er een romige massa is ontstaan. Doe de massa in een spuitzakje met een kleine, getande tuit en spuit de toefjes op de helft van de plakjes. **Schuif** het bakblik in de oven.

Laat de gebakken koekjes afkoelen. **Mix** voor de vulling de marsepeinmassa met een handmixer met gardes. Roer de rum of arak en de abrikozenjam erdoor. Bestrijk de onbelegde koekjes ermee en maak samen met de besprenkelde koekjes er taartjes van. **Deel** de gekonfijte kersen in vieren, garneer elk taartje met een stukje kers. **Druk** de abrikozenjam door een zeef, vermeng de jam met het water en kook het geheel op. Bestrijk de marsepeintaartjes ermee.

Milanese marsepeintaartjes

Ingrediënten

Voor het kneeddeeg

200 g tarwebloem, 65 g suiker

geraspte schil van 1/2 citroen (onbespoten)

125 g zachte boter

Voor het beleg

125 g bakmarsepein

30 g gezeefde poedersuiker

1 eigeel (middelgroot), 1 eetlepel citroensap

Voor de vulling

75 g bakmarsepein

1-2 eetlepels rum of arak

1 eetlepel abrikozenjam

3-4 gekonfijte kersen

Voor het abrikozentoefje

1 1/2 eetlepel abrikozenjam, beetje water

Oven

Boven-/ onderwarmte: 180-200 °C (voorverwarmd)

Heteluchtoven: 160-180 °C (voorverwarmd)

Gasoven: ca. stand 3 (voorverwarmd)

Baktijd: ca. 15 minuten

Bereiding

Los het gist in water op en verwerk het mengsel met de bloem, het water en de maïs-kiemolie met een handmixer met kneedhaken in ca. 5 minuten tot een soepel deeg.

Spoel de peterselie en de veldzuring af en hak ze fijn. Pel de knoflook, hak deze fijn en kneed de knoflook met de kruiden door het deeg. Laat het deeg afgedekt op een warme plek rijzen, tot deze zichtbaar groter is geworden. **Deel** het deeg in 12 porties en vorm met bebloemde handen 12 ronde, dunne pizzabodems.

Maak voor het beleg de wortels schoon, schil ze, was ze en snijd ze in ca. 5 mm dikke plakken. Verhit de olie, bak de wortels erin, breng ze met een beetje zout op smaak en bak ze in ca. 10 minuten halfgaar. Was de tomaten, verwijder de kroontjes en snijd de tomaten in ca. 7 mm dikke plakken. Was de courgette, snijd de uiteinden er af en snijd de courgette in ca. 5 mm dikke plakken. Laat de mozzarella uitlekken en snijd deze in blokjes.

Beleg 4 van de pizza's ruim met courgette, 4 met wortels en 4 met tomaten. Bestrooi ze dan met blokjes mozzarella, zout en peper en leg ze op het ingevette bakblik. Schuif het blik in de oven.

Besprenkel de pizza's met olie en bestrooi ze met de basilicum. Serveer de pizza's heet.

Ingrediënten

Voor het gistdeeg

20 g verse gist, 2-3 eetlepels lauw water

300 g volkoren tarwebloem

ca. 200 ml lauw water, 1 eetlepel maïskiemolie

1/2 theelepel zout, 1 bosje peterselie

1 bosje veldzuring, 2 knoflooktenen

Voor het beleg

300 g wortels, 1 eetlepel maïskiemolie

zout, ca. 300 g kleine, stevige tomaten

ca. 300 g kleine courgettes, 300 g mozzarella

peper, 4 eetlepels maïskiemolie

1 eetlepel gehakt basilicum

Mini pizza's

Oven

Boven-/ onderwarmte: 180-200 °C (voorverwarmd)

Heteluchtoven: 160-180 °C (voorverwarmd)

Gasoven: ca. stand 3 (voorverwarmd)

Baktijd: 25-30 minuten

Bereiding

Roer voor het deeg de boter met een handmixer met gardes in ca. 1/2 minuut op de hoogste stand glad. Roer geleidelijk de suiker, de vanillesuiker, het zout en de citroenschil erdoor. Roer het mengsel zolang tot er een gebonden massa is ontstaan. Roer geleidelijk de eieren erdoor (elk ei ca. 1/2 minuut). Vermeng de bloem met het bakpoeder, zeef het geheel, roer ca. de helft van de bloem erdoor, kneed de rest erdoor en zet het een nacht op een koude plaats.

Rol het deeg ca. 1/2 cm dik uit, druk met een rasp een patroon in de oppervlakte van het deeg en steek met een bakvorm rozetten eruit. **Leg** de deegrozetten op een met bakpapier belegd bakblik. Schuif het bakblik in de oven.

Bestrijk de koekjes direct na het bakken met boter. Vermeng de suiker met vanille-suiker en bestrooi de koekjes ermee.

Oven

Boven-/ onderwarmte: 180-200 °C (voorverwarmd)

Heteluchtoven: 160-180 °C (voorverwarmd)

Gasoven: stand 3 (voorverwarmd)

Baktijd: ca. 12 minuten

Milanese koekjes

Ingrediënten

Voor het roer-kneeddeeg

300 g zachte boter

250 g suiker

1 pakje vanillesuiker, zout

geraspte schil van 1 citroen (onbespoten)

3 eieren (klein)

500 g tarwebloem

2 afgestreken theelepels bakpoeder

Voor het bestrijken

ca. 60 g gesmolten boter

60 g suiker

1 pakje vanillesuiker

Bereiding

Leg een paar afgespoelde, uitgelekte slablaadjes op een rond bord.
Laat de tonijn uitlekken, breek deze in stukken en leg de tonijn over
de slablaadjes.

Pel de ui, snijd hem in ringen, leg deze op de tonijn en doe de
kappertjes erover.

Roer de olie met citroensap, peper en zout tot een marinade en
sprenkel dit over de salade. Laat het goed intrekken in de koelkast.

Ingrediënten

slablaadjes

500 g tonijn naturel (uit blik)

1 rode ui

50 g kappertjes

125 ml (1/8 l) olijfolie

sap van 1 citroen

versgemalen peper

zout

Tonijnsalade

Bereiding

Zeef voor het deeg de bloem in een grote kom. Voeg de overige ingrediënten toe en kneed het deeg met een handmixer met kneedhaken kort op de laagste stand, dan op de hoogste stand grondig. Kneed vervolgens het deeg op het aanrecht grondig tot een soepel deeg en laat het 30 minuten in de koelkast rusten.

Spoel voor het beleg de varkensfilet onder koud stromend water af, dep deze droog en snijd de filet in kleine blokjes. Vermeng de sojasaus met de rietsuiker en peper en marineer het vlees korte tijd erin.

Laat de ananas uitlekken en deel deze in vieren. Was de tomaten, deel ze in achten en verwijder de kroontjes. Was het witlof, snijd de stronk er wigvormig uit en snijd de witlof in dunne ringen.

Roer de tomatenpuree met water tot een goed smeerbare massa.

Kneed het deeg kort, rol het uit en beleg een ingevet pizzablik (Ø ca. 30 cm) ermee, druk aan de rand een beetje omhoog. Strijk het tomaatmengsel over het deeg.

Maak de lente-uien schoon, was ze, snijd ze in ringen en strooi ze erover. Verdeel de varkensfilet, stukjes ananas, de stukken tomaat erover en met bestrooi het geheel met witlof. Snijd de kaas klein en verdeel deze erover. Schuif het pizzablik in de oven.

Ingrediënten

Voor het deeg

250 g tarwebloem, 1 ei (middelgroot)

1/2 theelepel zout, 5 eetlepels karnemelk

100 g koude boter

Voor het beleg

200 g varkensfilet, 3 eetlepels sojasaus

1/2 theelepel rietsuiker

versgemalen peper

5 schijven ananas (uit blik)

4 kleine tomaten, 1 struikje witlof

2 eetlepels tomatenpuree

2 lente-uien

250 g dunne plakken kaas

Exotische pizza

Oven

Boven-/ onderwarmte: ca. 200 °C (voorverwarmd)

Heteluchtoven: ca. 180 °C (voorverwarmd)

Gasoven: stand 3-4 (voorverwarmd)

Baktijd: ca. 30 minuten

Bereiding

Ontdoe de varkensfilets van het vet, verwijder de huid, spoel ze onder stromend koud water af, dep ze droog, snijd ze in 10 ca. 2 cm dikke schijven en breng ze met peper op smaak.

Spoel de salieblaadjes af, dep ze droog en leg 2 blaadjes op elk medaillon.

Halveer de plakjes vlees van het buikstuk en leg één helft op elk medaillon. Wikkel om elk medaillon één plakje spek. Prik afwisselend de medaillons en de olijven op 4 spiesen.

Bestrijk ze met olie, leg ze op het hete grillrooster, gril ze ca. 15 minuten. Draai ze tijdens het grillen af en toe om.

Florentijnse medaillons

Ingrediënten

2 kleine varkensfilets (300 g per stuk)

versgemalen peper

20 blaadjes salie

5 dunne plakjes gepekeld en gekookt vlees

van het buikstuk

10 dunne plakken doorregen gerookt spek

20 gevulde olijven

3 eetlepels olijfolie

Bereiding

Snijd de olijven in plakjes. Hak de ansjovisfilets en de ui fijn, snijd de kaas in dunne plakjes. Vermeng alle ingrediënten met 200 ml olijfolie. Voeg het zout toe.

Leg een gedeelte van het mengsel in een ovenschaal met deksel. De bovenste laag moet van broccoli zijn. Besprenkel het mengsel met 50 ml olijfolie. Giet net zoveel rode wijn bij totdat de groenten bedekt zijn. Sluit de schaal goed af. Laat het gerecht op een lage stand ca. 1 1/2 uur in de oven smoren totdat de wijn helemaal is opgezogen.

Siciliaanse broccoli

Ingrediënten

50 g zwarte olijven (zonder pit)

8 ansjovisfilets

1 kleine gepelde ui

een stuk pittige halfvette kaas (50 g)

250 ml (1/4 l) olijfolie

zout

2 kg schoongemaakte broccoli

droge rode wijn

Bereiding

Meng voor het deeg de volkoren tarwebloem, de maïsbloem en bakpoeder, doe het in een grote kom. Voeg de kwark, olie, ei, oregano, zout en water toe. Verwerk de ingrediënten met een handmixer met kneedhaken eerst op de laagste stand, dan op de hoogste stand in ca. 1 minuut (niet te lang, anders kleeft het deeg) en vorm het vervolgens op een met bloem bestoven aanrecht tot een rol. **Maak** voor het beleg de broccoli schoon, verdeel hem in roosjes, was ze, laat ze uitlekken. Breng het water met zout aan de kook, kook de broccoliroosjes ca. 4 minuten erin, haal ze er met een schuimspaan uit, leg ze kort in koud water en laat ze uitlekken. **Maak** de peultjes schoon, snijd de uiteinden af, halveer ze eventueel. Kook de peultjes 2 minuten in het gezouten water, doe ze in koud water en laat ze uitlekken. **Maak** de lente-uien schoon, was ze, snijd ze in ringen. Maak de courgette schoon, was deze, dep deze droog en snijd de courgette in 1/2 cm dikke plakken. **Spoel** de peterselie onder koud stromend water af, dep deze droog. Pluk de blaadjes van de stengels. Pureer de blaadjes basilicum en peterselie met zure room en eieren met een staafmixer. **Kneed** het deeg op het met bloem bestoven aanrecht kort, rol over een ingevet bakblik uit. Bestrijk met het mengsel van kruiden, ei en room, beleg elk kwart van de pizza met een van de groentesoorten. **Snijd** de mozzarella in stukjes en rasp de Emmentaler, verdeel de kaas over de groenten. Schuif het bakblik in de oven.

Ingrediënten

Voor het kwark-olie-deeg

200 g volkoren tarwebloem, 50 g maïsbloem, 1 theelepel bakpoeder

150 g magere kwark, 6 eetlepels olijfolie, 1 ei (middelgroot)

1 theelepel gedroogde oregano, 1 theelepel zout, 2-3 eetlepels water

Voor het beleg

300 g broccoli, gezouten water, 200 g peultjes, 4 lente-uien

200 g courgette, 1 bosje gladde peterselie, 1 potje vers basilicum

2 bekers (300 g) zure room, 2 eieren (middelgroot)

250 g mozzarella, 125 g geraspte Emmentaler

Groene reuzenpizza

Oven

Boven-/ onderwarmte: 180-200 °C (voorverwarmd)

Heteluchtoven: 160-180 °C (voorverwarmd)

Gasoven: ca. stand 3 (voorverwarmd)

Baktijd: ca. 30 minuten

toscane

Bereiding

Ontdoe de haas van de huid, spoel hem af, dep hem droog, verwijder het vet en verdeel de haas in 8 porties. **Vermeng** de azijn met water. Pel de knoflookteen en hak deze grof. Schil de selderij, was en rasp deze. Voeg beide ingrediënten samen met de kruiden aan het azijnmengsel toe en vermeng het goed. Doe de stukken vlees erin, laat het ca. 24 uur op een koele plaats en draai het vlees af en toe om.

Haal het vlees eruit, dep het droog en bestuif het met bloem. Verhit de boterolie, braad de stukken vlees goed erin aan en voeg een beetje witte wijn toe. Overgiet het vlees af en toe met het braadvocht, vervang het verdampte vocht geleidelijk met de wijn en de wildbouillon en ca. laat het 1 uur smoren. **Haal** het gare vlees eruit en houd het warm. Kook de braadjus met de rest van de wijn los. Roer de tomatenpuree en de gezeefde tomaten erdoor en laat het een beetje inkoken.

Snijd het spek in blokjes, bak het in de olie en doe ze in de saus. Pel de knoflookteen, hak deze fijn en voeg de knoflook aan de saus toe. **Breng** het geheel met zout, peper en brandewijn op smaak en giet het over het vlees.

Haas in tomatensaus

Ingrediënten	
1 panklare haas (1,5 kg)	80 g boterolie
250 ml (1/4 l) rode wijnazijn	125 ml (1/8 l) witte wijn
250 (1/4 l) water, 1 knoflookteen	125 ml (1/8 l) wildbouillon
50 g knolselderij, 1 eetlepel gedroogde tijm	2 eetlepels tomatenpuree
2 laurierbladeren , zout	100 g gezeefde tomaten, 100 g doorregen
versgemalen peper, 20 g tarwebloem	spek, 3 eetlepels olijfolie
	1 knoflookteen, 4 eetlepels brandewijn

Bereiding

Roer voor de dilleboter de boter tot deze glad is. Spoel de dille en de kervel af en dep ze droog. Knip de dille met een keukenschaar fijn. Hak de kervel fijn.

Vermeng de boter met de kruiden en kruid het geheel met citroensap, zout en peper. Vorm het botermengsel tot een rol, wikkel het in aluminiumfolie en zet het in de koelkast.

Laat de scampi ontdooien, spoel deze onder stromend koud water af, doe de scampi met de knoflookteen, de afgespoelde stengels peterselie, de peperkorrels en zout in kokend water. Breng het geheel aan de kook, laat het 2 minuten koken, giet het in een zeef, overgiet het met koud water en laat het uitlekken. **Pel** de scampi en verwijder het donkere darmkanaal.

Leg de tomaten kort in kokend water (niet laten koken), laat ze met koud water schrikken, ontdoe ze van het vel, deel ze in vieren, verwijder de kroontjes en ontdoe ze van de harde kern.

Dep de olijven droog. Prik het scampivlees, de stukken tomaat en de olijven afwisselend op de spiesen. Pel de knoflook, pers deze door de knoflookpers en vermeng de knoflook met de olie. Bestrijk de spiesen ermee en leg ze 3-4 minuten op het hete grillrooster. Draai de spiesen tijdens het grillen af en toe om en bestrijk ze met de knoflookolie. **Bestrooi** de gaar gegrilde spiesen met zout en peper en serveer met de in plakken gesneden dilleboter.

Ingrediënten

Voor de dilleboter

80 g boter, 2 bosjes dille, 1 bosje kervel

een paar druppels citroensap, witte peper

Voor de spiesen

400 g scampi uit de diepvries, 1 knoflookteen

3 stengels peterselie, een paar peperkorrels

Scampispies met dilleboter

4 tomaten, 100 g gevulde olijven

2 knoflooktenen

6 eetlepels olijfolie, zwarte peper

Bijgerecht

Volkoren toast, tomatensalade

toscane

Bereiding

Spoel de ribstukken af, dep ze droog en wrijf ze met peper in. Pel de ui en snijd deze in blokjes. **Verhit** de olie en braad de schijven vlees erin aan beide kanten. Voeg de blokjes ui en de olijven toe, laat ze meebraden, voeg de peper en bouillon toe en laat het vlees ca. 1/2 uur smoren.

Leg de tomaten kort in kokend water (niet laten koken), laat ze met koud water schrikken, ontdoe ze van het vel, verwijder de kroontjes, deel de tomaten in achten en voeg ze ca. 10 minuten voor het einde van de smoortijd aan het vlees toe.

Haal het gare vlees eruit, bestrooi het met zout en houd het warm. Druk het braadjus door een zeef. Vermeng de bloem met zure room en bind de braadjus ermee.

Steaks met olijven

Ingrediënten

2 schijven ribstuk (600 g per stuk)	750 ml (3/4 l) vleesbouillon
versgemalen peper	2 tomaten
1 ui	zout
4 eetlepels plantaardige olie	1 eetlepel tarwebloem
15 Spaanse olijven, gevuld met paprika	100 g zure room

Bereiding

Was de aubergines en snijd ze in de lengte in vingerbrede repen, zodat de repen aan de uiteinden nog aan elkaar vastzitten. Bestrooi de insnijdingen met zout. Doe de aubergines in een zeef, spoel ze na ca. 30 minuten onder stromend koud water af, dep ze met keukenpapier droog en doe ze in een ingevette ovale ovenschaal.

Leg de tomaten korte tijd in kokend water (niet laten koken), laat ze in koud water schrikken, ontdoe ze van het vel, verwijder de kroontjes en snijd de tomaten in plakjes.

Pel de knoflook en snijd ze in plakjes. Laat de mozzarella uitlekken en snijd deze in dunne plakjes. Stop afwisselend de plakjes mozzarella, plakjes tomaat en plakjes salami in de insnijdingen van de aubergine, verdeel de plakjes knoflook erover. Besprenkel ze met olie en schuif de ovenschaal op het rooster in de oven, dek ze met bakpapier af.

Bestrooi het gerecht voor het serveren met peterselie.

Ingrediënten

4 niet te dikke, middelgrote aubergines

zout, 8 tomaten, 6 knoflooktenen

200 g mozzarella, 50 g salami (in plakjes)

6 eetlepels olijfolie, gehakte peterselie

Aubergines uit de oven

Oven

Boven-/ onderwarmte: ca. 200 °C (voorverwarmd)

Heteluchtoven: ca. 180 °C (voorverwarmd)

Gasoven: stand 3-4 (voorverwarmd)

Baktijd: ca. 50 minuten

toscane

Bereiding

Vermeng voor het deeg de bloem met bakpoeder en zeef het in een kom. Voeg de overige ingrediënten toe en kneed met een handmixer met kneedhaken eerst kort op de laagste stand, dan op de hoogste stand goed. Kneed het daarna op het aanrecht tot een soepel deeg. Als het deeg kleeft, zet u het een tijdje op een koude plaats. **Rol** het deeg tot een dikte van ca. 3 mm uit, steek er ronde plakjes (Ø ca. 8 cm) uit, leg ze op een goed ingevet bakblik en bak ze in de oven goudgeel. Zie 'Oven'. Baktijd: 5-7 minuten.

Laat voor het beleg de boter met suiker, vanillesuiker en honing al roerend karameliseren. Voeg de slagroom toe en roer deze totdat de karamelmassa is opgelost. Voeg de amandelen, de hazelnoten en de ingemaakte kersen toe, verhit al roerend net zolang tot de massa is gebonden. Roer het rumaroma erdoor. **Verdeel** de massa met 2 theelepels over de voorgebakken koekjes en schuif ze in de oven. Zie 'Oven'. Baktijd: 10-12 minuten. **Roer** voor het glazuur de couverture in een kleine pan au bain marie op een laag vuur tot een soepele massa en bestrijk de afgekoelde koekjes er aan de onderkant mee.

Florentijnse taartjes

Ingrediënten

Voor het deeg

150 g tarwebloem

1/2 afgestreken theelepel bakpoeder

50 g suiker, 1 pakje vanillesuiker

1 ei, 75 g boter

Voor het beleg

50 g boter, 100 g suiker

1 pakje vanillesuiker

2 eetlepels honing, 125 ml (1/8 l) slagroom

100 g geraspte amandelen, 100 g geraspte hazelnoten

25 g in stukken gesneden ingemaakte kersen

5 druppels rumaroma

Voor het glazuur

75 g donkere couverture

Oven

Boven-/ onderwarmte: ca. 200 °C (voorverwarmd)

Heteluchtoven: ca. 180 °C (voorverwarmd)

Gasoven: stand 3-4 (voorverwarmd)

Bereiding

Was de aubergine, ontsteel deze, snijd deze in blokjes, bestrooi deze met zout, laat het 10 minuten intrekken. Spoel ze met koud water af en laat ze uitlekken.

Pel de ui, hak hem fijn. Halveer de paprika's, ontsteel ze, ondoe ze van het zaad en van de zaadlijsten, was de paprika's en snijd ze in repen.

Was de courgette, verwijder de uiteinden, snijd de courgette in dunne plakjes, pel het knoflook en hak het fijn.

Bak de groenten al roerend ca. 5 minuten in olie. Voeg de wijn en de azijn toe, breng het geheel met zout, peper suiker en kruiden op smaak.

Laat de groenten in een afgedekte pan in 15-20 minuten gaar bakken.

Vermeng de tomatenpuree met het tomatensap, voeg het mengsel aan de groenten toe, breng met maggi op smaak, verhit het nog een keer en schik het op een schaal.

Ingrediënten

1 kleine aubergine, 1 eetlepel zout

1 middelgrote ui

1 kleine rode paprika

1 kleine groene paprika

1 kleine courgette

1 knoflookteen, 2 eetlepels olijfolie

2-3 eetlepels witte wijn

Italiaanse groenten

2-3 eetlepels wijnazijn, zout

versgemalen peper, suiker

gehakt basilicum

gehakte oregano

1 eetlepel tomatenpuree

125 ml (1/8 l) tomatensap, maggi

Bereiding

Verhit de olie, pel de ui en knoflook, hak ze fijn en fruit ze in de olie.

Voeg de bladspinazie zonder te ontdooien toe, giet er een beetje water bij, laat het geheel

ca. 15 minuten met deksel stoven en kruid het met zout, peper en nootmuskaat.

Laat de spinazie uitlekken en schep deze in een ingevette ovenschaal.

Smelt voor de saus de boter en vermeng deze met bloem. Verhit het geheel al roerend

net zo lang tot het mengsel goudgeel is gebakken. Giet de melk en de slagroom erbij,

roer alles met een garde om, breng het aan de kook, laat het ca. 2 minuten koken

en breng het met zout en peper op smaak.

Haal ca. 1/3 van de saus eruit en vermeng dit met de helft van de Parmezaanse kaas.

Zet de rest van de slagroomsaus opzij. Doe de helft van de kaassaus over de spinazie,

vul de cannelloni met de andere helft (bij voorkeur met behulp van een spuitzakje).

Leg de gevulde cannelloni op de spinazie en overgiet het gerecht met de resterende

slagroomsaus en bestrooi met de rest van de Parmezaanse kaas.

Doe de vlokjes boter daarop en schuif de schaal op het rooster in de oven.

Ingrediënten

1 eetlepel plantaardige olie, 1 ui

1 knoflookteen, 600 g diepvries bladspinazie

zout, versgemalen peper, nootmuskaat

Voor de saus

40 g boter, 40 g tarwebloem

375 ml (3/8 l) melk, 125 ml (1/8 l) slagroom

120 g geraspte Parmezaanse kaas

ca. 125 g cannelloni, vlokjes boter

Cannelloni met bladspinazie

Oven

Boven-/ onderwarmte: ca. 220 °C (voorverwarmd)

Heteluchtoven: ca. 200 °C (voorverwarmd)

Gasoven: stand 4-5 (voorverwarmd)

Baktijd: 20-30 minuten

Bijgerecht

Tomatensalade

Bereiding

Laat het bladerdeeg ontdooien.

Leg de kerstomaten korte tijd in kokend water (niet laten koken). Laat ze in koud water schrikken, ontdoe ze van het vel, verwijder de kroontjes en halveer ze dwars.

Klop de kaas en de eieren door elkaar, vermeng het geheel met de crème fraîche en kruid de massa met peper en nootmuskaat.

Spoel het basilicum af, dep het droog en pluk de blaadjes van de stengels. Bewaar een paar blaadjes, hak de rest van de blaadjes fijn.

Spoel vier bakvormpjes (Ø 12 cm) met koud water uit. Rol het deeg zeer dun (ca. 1,5 mm) uit, beleg de vormpjes ermee en druk aan de zijkant tot een rand omhoog. Bestrooi ze met de blaadjes basilicum. Verdeel de halve tomaten en de kaasmassa erover.

Schuif in het begin helemaal onderin in de oven. Bak dan in het midden van de oven verder. Bestrooi de taartjes met de rest van het basilicum.

Tomatentaartje met basilicum

Ingrediënten

150 g bladerdeeg, 12 kerstomaten

50 g geraspte Goudse kaas

2 eieren (middelgroot)

2 eetlepels crème fraîche

versgemalen peper

nootmuskaat, 1 bosje basilicum

Oven

Boven-/ onderwarmte: ca. 220 °C (voorverwarmd)

Heteluchtoven: ca. 200 °C (voorverwarmd)

Gasoven: stand 4-5 (voorverwarmd)

Baktijd: 10 minuten

Bereiding

Kook de tagliatelle in water metzout en olie volgens de aanwijzingen
op de verpakking beetgaar (al dente), doe deze in een zeef, laat de tagliatelle
uitlekken en houd deze warm.

Was voor de saus de citroen, droog deze af, rasp de gele schil eraf
en zet dit opzij. Ontdoe de citroen van de witte schil en alle velletjes. Snijd het
vruchtvlees in kleine blokjes, roer het met slagroom en aquavit door elkaar.
Breng het aan de kook en laat het ca. 5 minuten doorkoken. Voeg het citroensap
eraan toe, breng het aan de kook en laat het nog eens 5 minuten koken.
Breng de saus met zout, peper en suiker op smaak.

Vermeng de gare tagliatelle met de citroensaus en de geraspte Parmezaanse
kaas, schik het gerecht op een platte schaal en bestrooi het met de geraspte
citroenschil.

Ingrediënten

600 g tagliatelle, 1 eetlepel plantaardige olie

Voor de saus

1 citroen (onbespoten)

500 ml (1/2 l) slagroom

3-4 eetlepels aquavit, sap van 1 citroen

zout, versgemalen peper

suiker, 60 g geraspte Parmezaanse kaas

Tagliatelle met citroensaus

Tip

Serveer er groene sla bij of serveer

de tagliatelle met citroensaus bij gebakken kipfilet

of schnitzel met gemengde sla.

toscane

Bereiding

Zeef voor het deeg de bloem in een grote kom en vermeng de bloem zorgvuldig met de gist. Voeg de overige ingrediënten toe en verwerk het geheel met een handmixer met kneedhaken eerst op de laagste stand, dan op de hoogste stand in ca. 5 minuten tot een soepel deeg. Laat vervolgens het deeg net zo lang op een warme plaats staan, tot deze zichtbaar groter is geworden.

Maak voor het beleg de bleekselderij en de prei schoon, was ze en snijd ze in plakjes. Halveer de paprika, ontsteel hem, verwijder het zaad en de zaadlijsten, was hem en snijd hem in dunne reepjes. Pel de ui en de knoflookteen en hak ze fijn. Verhit de olie (3 eetlepels) en bak de groenten, de gehakte ui en de knoflook er 5 minuten in. Breng alles met zout, peper en Provençaalse kruiden op smaak.

Spoel de kipfilet koud af, dep hem droog, snijd hem in dunne repen en breng hem met zout en peper op smaak. Verhit de olie (2 eetlepels) en bak de repen vlees ca. 3 minuten erin. Draai het vlees hierbij regelmatig om. Giet de sojasaus over het vlees, roer het goed en laat het afkoelen. Roer de tomatenpuree met een beetje water tot een goed smeerbare massa en breng het met zout, peper en Provençaalse kruiden op smaak. **Kneed** het gerezen deeg wederom kort en rol het over een ingevet bakblik uit. Strijk de tomaatmassa erover en verdeel de groenten erover. Was de tomaten, verwijder de kroontjes, snijd ze in plakken en leg ze samen met de repen vlees over de groenten. Bestrooi de pizza met de kaas. Schuif het bakblik in de oven.

Gevogeltepizza

Ingrediënten

Voor het gistdeeg

300 g tarwebloem, 1 pakje gedroogde gist
1 theelepel suiker, 1 afgestreken theelepel zout
175 ml lauw water, 1 eetlepel plantaardige olie

Voor het beleg

2 stengels bleekselderij (ca. 200 g)
1 prei (look, ca. 200 g), 1 rode paprika (ca. 200 g)
1 ui, 1 knoflookteen, 5 eetlepels plantaardige olie
zout, versgemalen witte peper, Provençaalse kruiden

375 g kipfilet, 2 eetlepels sojasaus
2 eetlepels tomatenpuree, 2 tomaten
100-150 g geraspte Goudse kaas, olijfolie

Oven

Boven-/ onderwarmte: 200-220 °C
(voorverwarmd)
Heteluchtoven: 180-200 °C (voorverwarmd)
Gasoven: ca. stand 4 (voorverwarmd)
Baktijd: ca. 25 minuten

Bereiding

Was de aubergines, snijd de uiteinden eraf, snijd de aubergines in
vingerdikke repen en bestrooi ze met zout. Laat ze ca. 10 minuten staan,
spoel ze dan grondig af en dep ze met keukenpapier droog.

Verhit de olie in een pan, braad de repen er langzaam aan beide kanten
in bruin en leg ze meteen op keukenpapier om uit te lekken.

Pel de knoflook, snijd ze in plakjes. Schik de repen aubergine, de blaadjes
basilicum en de plakjes knoflook dakpansgewijs op een groot bord en
serveer het gerecht koud of warm.

Ingrediënten

500 g aubergines

zout, peper

olijfolie

ca. 5 verse blaadjes basilicum

Gebraden aubergines

Bereiding

Verdeel de bloemkool in roosjes. Maak de wortels schoon, schil ze, was ze en snijd ze met een kartelmes in plakjes. Dop de bonen, was ze en snijd ze in stukken. Maak de prei schoon, snijd deze in 1-2 cm grote stukjes en was ze. Maak de selderij schoon, schil deze en snijd de selderij klein. Was de doperwten.

Smelt de boter en bak de groenten erin. Giet de groentebouillon erbij, breng het geheel met zout en peper op smaak, breng het aan de kook en kook het in ca. 20 minuten gaar.

Leg de tomaten korte tijd in kokend water (niet laten koken), laat ze in koud water schrikken, ontdoe ze van het vel en voeg ze in stukjes aan de groenten toe.

Bestrooi de soep met kruiden.

Bijgerecht

Griesmeelballetjes.

Boeren groentesoep

Ingrediënten

125 g schoongemaakte bloemkool	40 g boter
2 middelgrote wortels	750 ml (3/4 l) groentebouillon
125 g snijbonen	zout
1 prei	versgemalen peper
1 stuk knolselderij (100 g)	2 middelgrote tomaten
100 g jonge doperwten	2 eetlepels gehakte kruiden (bijv. peterselie, kervel)

toscane

Bereiding

Was de venkelknollen, halveer ze eventueel, dep ze droog en snijd ze in flinterdunne plakjes. Zet het zachte groen van de venkel opzij. Schil de sinaasappels en fileer ze. Pel de ui en snijd deze in plakjes.

Vermeng het zout, peper, suiker, azijn en olie en vermeng dit met de ingrediënten van de salade. Bestrooi de salade met de pistachenoten en het groen van de venkel.

Salade met venkel en sinaasappel

Ingrediënten

2 knollen venkel (400 g), 2 sinaasappels

1 kleine rode ui, zout

versgemalen peper, een beetje suiker

1-2 eetlepels witte wijnazijn

4 eetlepels olijfolie

20 g gehakte pistachenoten

Bereiding

Verwerk voor de lasagnevellen bloem, eieren, olie, water en kruiden tot een pastadeeg. Wikkel het deeg in folie en laat het 30 minuten rusten. **Breng** het water met wat olie en zout in een ruime pan aan de kook. Rol het deeg op een met bloem bestoven aanrecht dun uit. Snijd uit het deeg 5 x 12 cm grote rechthoeken of draai het deeg door een pastamachine. Kook de pastabladeren 2 minuten, laat ze met koud water schrikken. **Verwijder** voor de vulling van de aubergines de uiteinden. Ontdoe de bleekselderij van de uiteinden en verwijder de harde draadjes van de buitenste dikke stengels. Was de groenten en snijd ze in kleine blokjes. **Maak** de paddestoelen schoon, spoel ze onder koud stromend water kort af, snijd ze in kleine plakjes. **Pel** de ui, halveer ze en hak ze fijn hak. Verhit de olie en fruit de gehakte ui er glazig in. Voeg de blokjes groenten toe, laat ze kort mee bakken. **Pel** de knoflook-tenen en pers ze uit. Roer dit samen met de tomaten door de groenten, kruid het met tijm, rozemarijn, koriander, peper en zout. Stoof de groenten afgedekt op een laag vuur in ca. 10 minuten gaar. Laat het afkoelen. **Roer** voor het bestrijken de roomkaas met de slagroom tot een soepele massa. Spoel het basilicum af, dep het droog. Pluk de blaadjes van de stengels, hak ze fijn en roer dit samen met de geplette peperkorrels door de kaasmassa, breng het eventueel met een snufje zout op smaak.

Leg een laag lasagnevellen in een ingevette ovenschaal, bestrijk het met de massa. Doe vervolgens steeds afwisselend een laag groentevulling en een laag lasagnevellen in de ovenschaal. De bovenste laag moet van lasagnevellen zijn. Schuif de schaal op het rooster in de oven.

Ingrediënten

Voor de lasagnevellen

200 g volkoren tarwebloem, 2 eieren (middelgroot), 1 theelepel plantaardige olie
2-4 eetlepels water, 1/2 theelepel Italiaanse kruidenmix, paprikapoeder
versgemalen peper, 1 afgestreken theelepel zout, water, een beetje plantaardige olie

Voor de vulling

300 g schoongemaakte aubergines, 300 g schoongemaakte bleekselderij
250 g schoongemaakte kastanjechampignons, 1 grote ui, 1 eetlepel plantaardige olie
1-2 knoflooktenen, 1 blik pizza tomaten (400 g uitlekgewicht), 250 ml (1/4 l) groentebouillon
1 theelepel gedroogde tijm, rozemarijn, koriander, versgemalen peper, zout

Voor het bestrijken

300 g roomkaas, 100 ml slagroom, 1 bosje basilicum, 1 theelepel groene peperkorrels
zout, versgemalen peper, 2 afgestreken theelepels margarine, 3 eetlepels geraspte kaas

Auberginelasagne

toscane

Bereiding

Spoel de konijnenbouten onder stromend koud water af en dep ze droog.

Verhit de olie in een braadslede, braad het vlees er aan alle kanten

kort in aan, haal de bouten eruit en breng ze met zout op smaak.

Pel de knoflooktenen en de zilveruitjes of sjalotjes.

Doe alle ingrediënten in de braadslede, braad het een beetje aan,

leg de konijnbouten erop, zout ze, blus met witte wijn en schuif de braad-

slede op het rooster in de oven.

Ingrediënten

4 konijnenbouten, 100 ml olijfolie

zout , 2 knoflooktenen

100 g zilveruitjes of sjalotjes

100 g groene olijven, zonder pit

100 g zwarte olijven, zonder pit

2 takjes rozemarijn, 2 blaadjes salie

2 eetlepels groene peper, 100 ml olijfolie

400 ml droge witte wijn

Konijnenbouten met olijven

toscane

Oven

Boven-/ onderwarmte: ca. 200 °C (voorverwarmd)

Heteluchtoven: ca. 180 °C (voorverwarmd)

Gasoven: stand 3-4 (voorverwarmd)

Baktijd: ca. 20 minuten

Tip

Als bijgerecht Turks brood (vers uit de oven)

of serveer er verse sla bij.

Bereiding

Was de tomaten, dep ze droog, snijd het dekseltje eraf en hol ze van binnen uit. Bestrooi de tomaten aan de binnenkant met zout en peper.

Snijd voor de vulling de mozzarella in kleine blokjes, bewaar het vocht en vermeng de blokjes mozzarella met de basilicum.

Vermeng het vocht van de mozzarella met olijfolie en azijn, breng het met zout en peper op smaak.

Giet de marinade over de vulling, laat het een beetje intrekken, vul de tomaten ermee en garneer het gerecht met de blaadjes basilicum.

Italiaanse tomaten

Ingrediënten

12 kleine tomaten, zout

versgemalen peper

Voor de vulling

3 pakjes mozzarella (125 g per stuk)

5 eetlepels gehakt vers basilicum

5 eetlepels mozzarellavocht

8 eetlepels olijfolie, 6 eetlepels balsamico-azijn

zout, versgemalen witte peper

blaadjes basilicum

Bijgerecht

Turks brood of ciabatta.

Tip

Voeg een gepelde, geperste knoflookteen aan de marinade toe.

Bereiding

Kruid de lamsnootjes in de helft van de armagnac en laat het één nacht trekken.

Leg de kalfszwezerik een aantal uren in water. Pel de ui, lardeer de zwezerik met het laurierblad en de kruidnagel. Kook de kalfszwezerik in water met zout ca. 30 minuten.

Was de artisjokken en verwijder de buitenste bladeren. Snijd het bovenste 1/4 deel en de stelen eraf. Wrijf de snijkanten met citroensap in. Kook de artisjokken ca. 30 minuten in water met zout op een laag vuur. Verwijder de harde draadjes in het midden van de artisjokken (het zogenaamde hooi) met een lepel.

Smelt 20 g boter in een pan, braad de lamsnootjes erin aan alle kanten in ca. 2 minuten roze en leg ze op de artisjokken. **Smelt** 20 g boter in de pan. Snijd de kalfszwezerik in plakken, braad ze erin aan en doe dit op het lamsvlees.

Pel voor de saus de sjalotjes en hak ze in stukken. Ontdoe de tomaten van het vel, verwijder de harde kern en snijd ze in blokjes. Smelt 20 g boter en fruit de sjalotjes er glazig in.
Blus het met de resterende armagnac en rode wijn. Voeg de tomaten toe, laat het inkoken en roer de rest van de boter erdoor. Giet de saus over het vlees en verdeel de champignons erover.

Ingrediënten

8 lamsnootjes (ca. 70 g per stuk)

4 cl armagnac

1/2 theelepel tijm

1/2 theelepel salie

1 eetlepel gehakte peterselie

200 g kalfszwezerik

1 ui, 1 laurierblad

Lamsnootjes op artisjokken

toscane

1 kruidnagel, zout

8 kleine artisjokken

citroensap, 80 g boter

2 sjalotjes, 2 tomaten

4 cl rode wijn

8 champignonkoppen

toscane

Bereiding

Zeef voor het deeg de bloem in een grote kom, meng de bloem zorgvuldig met de grof gemalen tarwe. Voeg de boter, suiker, zout, peper en melk toe. Verwerk het geheel met een handmixer met kneedhaken eerst op de laagste stand, dan op de hoogste stand in ca. 5 minuten tot een soepel deeg. Voeg nog een beetje bloem toe indien het deeg nog kleeft (niet teveel, het deeg moet zacht blijven).

Laat het deeg op een warme plek net zolang rijzen, totdat deze zichtbaar groter is geworden, kneed het dan nog een keer kort. Rol het deeg tot een ronde plak uit, leg het op een ingevet bakblik. **Snijd** voor het beleg de ui, het spek en de ham in blokjes. Verhit de olie, bak het spek erin, voeg de blokjes ui en ham toe en laat 2-3 minuten bakken. **Ondoe** de spinazie zorgvuldig van de slechte blaadjes, was de spinazie grondig, doe deze al druipend in een pan, laat de spinazie afgedekt ca. 5 minuten stoven en laat deze uitlekken. Vermeng de spinazie met de blokjes ham, de blokjes spek en de gehakte ui. Pel de knoflook, hak hem fijn en voeg dit ook toe. Kruid de spinazie met zout, nootmuskaat en citroensap, verdeel de spinazie over de pizzabodem.

Was de tomaten, droog ze af, verwijder de kroontjes, snijd de tomaten in plakken, verdeel die over de spinazie, bestrooi ze met zout, peper en marjolein. Verdeel de kaas erover, bestrijk het met olie. Schuif het bakblik in de oven.

Pizza met spinazie

Ingrediënten

Voor het deeg

175 g tarwebloem, 75 g grof gemalen tarwe

1 pakje gedroogde gist, 25 g gesmolten boter

1/2 theelepel suiker, zout, versgemalen peper

ruim 125 ml (1/8 l) lauwe melk

Voor het beleg

1 gepelde ui, 75 g doorregen spek

75 g gekookte ham

2 eetlepels plantaardige olie

600 g bladspinazie, 2 knoflooktenen

nootmuskaat, citroensap

400 g vleestomaten

2 eetlepels gehakte marjolein

200 g geraspte kaas, 1-2 eetlepels olijfolie

Oven

Boven-/ onderwarmte: 200-220 °C (voorverwarmd)

Heteluchtoven: 180-200 °C (voorverwarmd)

Gasoven: ca. stand 4 (voorverwarmd)

Baktijd: ca. 20 minuten

toscane

Register